D1633987

LES GOÛTERS PHILO

BRIGITTE LABBÉ • MICHEL PUECH

LE SUCCÈS ET L'ÉCHEC

ILLUSTRATIONS DE JACQUES AZAM

MILAN
jeunesse

Au menu de ton Goûter Philo

Ça monte à la tête !

« Changez-moi ces draps,
vous devriez savoir que je dors dans
des draps roses, en soie. Remplissez
la baignoire d'eau minérale, il n'est pas
question que je prenne un bain d'eau
du robinet, ma peau est trop fragile.
Les ampoules des lampes sont trop fortes,
éteignez tout et apportez des bougies,
et surtout qu'on n'oublie pas de vérifier
que l'hôtel est entièrement réservé pour
moi et mes assistants, je ne veux croiser
aucun étranger pendant mon séjour. »
Le personnel du palace où Jessica vient
d'arriver n'en revient pas. Quand on
voit Jessica en photo sur ses pochettes
de disque ou quand on l'écoute répondre
aux interviews à la télévision,
elle n'a pas du tout l'air capricieuse.

Jessica a vendu 3 millions de disques, elle passe tout le temps à la télévision et ses amis ont bien remarqué ses changements depuis qu'elle a du succès. Vers 500 000 disques vendus, elle s'est mise à ne plus sortir dans la rue sans de grosses lunettes de soleil noires, même en plein hiver. Vers 1 million de disques vendus, elle piquait des crises si quelqu'un avait 2 minutes de retard à un rendez-vous avec elle. Vers 2 millions de disques, elle s'est mise à arriver avec 3 heures de retard à tous ses rendez-vous, et aujourd'hui, elle est carrément sur une autre planète : la Terre entière doit être à son service.

Le succès peut monter à la tête, rendre ivre et déboussoler complètement quelqu'un.

Vivre un succès

Facile d'imaginer la suite de l'histoire de Jessica :

- Jessica n'a plus d'amis, tout le monde
- la fuit. Sauf les gens intéressés
- qui veulent profiter de son argent. Depuis
- quelques mois, elle boit trop d'alcool,
- elle doit prendre des médicaments pour
- dormir, elle se traîne toute la journée...

Quand on n'est pas riche, quand on n'est pas célèbre, on a du mal à comprendre que ceux qui ont beaucoup de succès ne soient pas heureux, totalement heureux.

On se dit : « *Moi, si j'avais tout ça, je n'aurais plus aucun problème, je serais le plus heureux du monde !* »

On ne peut pas savoir, peut-être que oui, peut-être que non. Le succès, celui qui se voit, celui que l'on appelle le succès commercial, ne garantit pas le bonheur. Certaines stars mondiales se suicident, beaucoup ne peuvent pas se passer de drogues, d'autres n'arrêtent pas d'aller de chagrin d'amour en chagrin d'amour. D'autres vont très bien… Mais il faut être fort, vraiment très fort pour résister aux tornades du succès, qui peuvent faire s'envoler loin, très loin de la réalité et des autres.

Bang ! Paf ! Échec scolaire

Échec scolaire. Deux mots qui font mal, deux mots qu'on prend en pleine figure et qui donnent l'impression qu'on est un déchet, que l'avenir est noir. On se sent incapable.

Incapable de quoi ? De bien lire, de bien écrire, de bien calculer, d'avoir de bonnes notes, de faire les devoirs… Mais pourtant, on est capable d'apprendre à jouer de la guitare, d'écrire des sketchs qui font plier de rire tout le monde, de parler 3 langues, de préparer un repas délicieux pour 100 personnes, de faire des figures incroyables en skate, d'improviser un spectacle de danse avec 3 amis, de comprendre en 2 minutes le fonctionnement d'un jeu vidéo très compliqué, de faire une magnifique collection de papillons…

Évidemment, c'est beaucoup plus confortable et plus agréable de réussir à l'école. Évidemment qu'on a plus de chances de trouver un travail si ça marche à l'école. Mais quand on n'y arrive pas, cela ne veut pas dire qu'on est un échec tout entier. Échec scolaire n'est pas une condamnation à une vie d'échec. Quand des adultes pensent qu'un enfant est un échec tout entier, ils risquent de détruire l'enfant, de lui faire croire que le succès, c'est toujours réservé aux autres.

Un tunnel **tout noir**

Se sentir sans arrêt en échec, c'est comme marcher dans un tunnel noir et penser qu'on va y rester toute sa vie. On a besoin que quelqu'un pense qu'on va s'en sortir, que quelqu'un croie en nous. Alors, une petite lumière s'allume au bout du tunnel. On en voit le bout. On sait vers où aller. Et on en sort. Il faut fuir ceux qui n'allument pas cette lumière et chercher ceux qui savent la faire briller.

Regarde devant toi !

« Mais c'est pas possible, je n'ai jamais vu quelqu'un qui tient son guidon comme ça, mais non, quelle idée de mettre le pied gauche si haut au démarrage, tu ne comprends pas ce que je te dis ou quoi, et tu n'es même pas capable de regarder droit devant toi, mais enfin qu'est-ce que tu as dans la tête, mon pauvre garçon, aucun sens de l'équilibre, ah, vraiment, tu n'es pas près d'y arriver... »

On n'essaie pas de lui apprendre : on essaie de lui faire comprendre qu'il est nul. Et qu'il ne peut pas y arriver.

« Oui, oui, tu as fait au moins 2 mètres sans mettre le pied par terre, bravo, allez, encore un effort, regarde bien devant toi, très loin, c'est ça, tu es doué, c'est déjà bien pour aujourd'hui, on va rentrer boire un bon chocolat chaud, on revient demain matin et je suis sûr que tu iras jusqu'au bout de l'allée sans t'arrêter... »

En regardant devant lui, il voit une réussite qu'il va atteindre, bientôt ; il a confiance. Pour réussir, on a besoin que les autres y croient.

Bravo Emma !

Emma se met à quatre pattes et, tout doucement, elle s'accroche au coin de la table pour se mettre debout.

Et boum, elle retombe sur ses fesses.
Heureusement qu'elle a une couche,
ça amortit le choc. Deux fois, trois fois,
ça y est, ouf, debout. À l'autre bout
du salon, elle voit Papa. Elle lâche
tout doucement la table et avance le pied
gauche. Puis le droit, puis le gauche.
Et boum ! Zut, la table est trop loin !
Il faut trouver une technique pour
se remettre debout sans rien pour
s'appuyer ! Et Papa est à des kilomètres...

Quand Emma va réussir à traverser le salon
en marchant, elle aura surmonté un nombre
d'échecs incroyable, des dizaines et des
dizaines de chutes.
Tout cela jusqu'au
grand succès :
marcher.

À chaque chute, elle apprend quelque chose de nouveau, elle sent qu'il faut se pencher un peu plus par là ou par là, qu'elle doit un peu écarter les bras, lever un peu plus la tête… Emma est en train d'apprendre comment se construit un succès et, en la regardant, on se rend compte que la route du succès est pleine de petits échecs ! On est tous passés par là… et on a tous déjà été capables de surmonter beaucoup d'échecs avant de vivre de grands succès ! Ce serait bien de s'en souvenir.

Cet après-midi, c'est la fête !

Dounia, Guy et Yohann organisent une boum, leurs parents sont d'accord pour louer la salle qui est en bas de leur immeuble, de 16 heures à 20 heures. Une très grande salle qui peut contenir au moins 80 personnes. Mais ils ont le droit d'en inviter 40 au maximum. Dounia doit faire les invitations et les distribuer,

- Guy et Yohann s'occupent de la musique.
- Tous leurs amis apporteront
- des boissons, des chips et des gâteaux.
- C'est le grand jour, ils sont tous
- les trois stressés ; on ne sait jamais,
- avant une fête, si l'ambiance va prendre.
- À 16 h 30, ils sont désespérés : il n'y a que
- 10 personnes. À 17 heures : 15 personnes.
- Et les 15 ont apporté des gâteaux,
- il n'y a rien à boire. À 18 heures,
- ils sont 20 mais l'ambiance est nulle,
- personne ne danse, tout le monde a soif,
- la sono est trop petite pour la salle,
- et la salle est tellement grande qu'ils
- se sentent perdus. Autant tout arrêter.

Dur ! Quand on se lance dans un projet, il n'y a jamais une assurance de succès… Mais pire : il y a toujours un risque d'échec.

Dounia jette tout, Yohann cherche, Guy oublie

« Alors là, c'est la dernière fois de ma vie que j'organise un truc. La honte. Vous imaginez ce qu'on va raconter sur nous, on est fichus », déclare Dounia.

Dounia reste bloquée sur cet échec. Elle a trop peur d'affronter un autre échec, plus question d'organiser de fêtes. Ce n'est pas très grave… mais si la peur de l'échec envahit tout, si la peur s'étend sur tous les projets de la vie, c'est très très embêtant : on est paralysé, on n'ose plus rien, on s'enferme petit à petit dans des rêves, parce que là, au moins, on ne risque rien. Oser risquer un échec, ne pas en avoir peur, c'est oser plonger dans la réalité, oser transformer nos idées et nos rêves en histoires vraiment vraies.

« On a donné les invitations beaucoup
trop tard, ceux qui avaient d'autres
plans n'ont pas eu le temps de changer.
Et puis chacun aurait dû savoir
à l'avance s'il devait apporter à boire
ou à manger. Et la prochaine fois,
on décorera la salle aussi ; les murs
immenses et tout blancs, ça casse
l'ambiance, on se serait cru dans
un hôpital, et puis on la coupera en deux
avec des rideaux, ça fera plus intime. »

Yohann cherche. Il essaie de comprendre. Il est comme un mécanicien devant une voiture qui fait des bruits très bizarres : il ne jette pas la voiture à la poubelle, il ne fonce pas non plus jusqu'à ce qu'elle casse, il essaie de la régler. Il change des pièces, il fait des essais, jusqu'au bon réglage. Tous les échecs nous aident à chercher les bons réglages, ils nous montrent ce qui ne marche pas et, finalement, ils nous font découvrir ce qui marche.

« Pas grave. Laisse tomber. On n'a pas eu de chance, c'est tout. Pas la peine d'en faire un drame ni de se prendre la tête, on en refera une et ça marchera. »

Guy ne veut pas repenser à ce qui s'est passé. On n'a pas toujours envie de regarder les problèmes, on préfère parfois se mettre sous la couette, et oublier. De temps en temps, ça fait du bien !

Mais si à chaque échec que l'on rencontre, on évite de se poser des questions, si à chaque échec, on ne veut pas voir les problèmes, on risque de ne pas trouver les bons réglages pour mettre toutes les chances de son côté. Et on va passer son temps à se cogner à des échecs.

La peur de l'échec, pire que l'échec !

Joachim vient de se faire jeter par Bérénice. Cela faisait des semaines qu'il tournait en rond sans oser lui dire qu'il la trouve super et qu'il aimerait l'inviter au cinéma. Il n'a encore jamais osé proposer à une fille de la voir en dehors du collège. Et puis aujourd'hui, il a pris son courage à deux mains, il a respiré à fond et, à la récréation, il s'est approché de Bérénice pour lui proposer d'aller voir un film samedi prochain.

Raté. Échec. Échec total. Terminé, Bérénice. Plus la peine d'y penser.

Une fois le choc passé, Joachim n'en revient pas : il n'est pas mort, le monde ne s'est pas écroulé !

« Quand je pense que je n'ai pas dormi pendant 3 semaines, que j'avais mal au ventre le matin, que je répétais 100 fois par jour la phrase que j'allais dire ! Quand je pense que j'imaginais mourir en sortant le premier mot. »

Très souvent, avant de se lancer dans un projet, on imagine les pires choses. Et très souvent, ce qui se passe en vrai est très différent de ce qu'on a imaginé dans sa tête, avant. Et bien plus intéressant : on apprend des choses sur soi, et même s'il y a des échecs, on se rend compte qu'on peut rebondir, qu'on peut démarrer autrement et autre chose.

● Trois mois plus tard, Joachim est
● au cinéma avec Amanda.

Pour pouvoir vivre des succès, il faut être capable de vivre des échecs, et se rendre compte que l'échec n'est pas insurmontable.

Un ami qui **nous veut** du bien...

● Théo hésite, il veut parler à Luc,
● son copain, mais ce qu'il veut lui dire
● n'est pas facile à dire. Il a peur que Luc
● le prenne mal. Tant pis, il faut le faire.
● « Écoute, Luc, en classe, cette année,
● je ne sais pas ce que tu as, mais tu énerves
● tout le monde. Tu veux sans arrêt répondre
● aux questions, tu coupes la parole
● aux autres, tu ne supportes pas d'avoir
● tort. À tous les cours, tu t'assieds pile

devant le bureau du prof, tu la ramènes tout le temps et, franchement, tu es en train de passer pour le lèche-bottes du collège. Fais gaffe, j'entends les autres parler de toi à la récré, tu vas finir par faire pitié et te retrouver tout seul. »

Pas facile d'accepter des critiques. En écoutant Théo, Luc peut tout rejeter en bloc, s'en aller en pensant que Théo est un ennemi qui lui veut du mal. Mais Théo est un super-ami, Luc a confiance en lui. Il écoute, il ne se rendait pas compte de tout ça, mais maintenant que Théo lui en parle, il sent qu'il y a du vrai là-dedans.

Un échec, c'est comme un vrai ami qui ose nous parler. Même si ce qu'il doit dire est franchement désagréable. Les échecs que nous rencontrons nous donnent beaucoup d'informations sur ce qui ne va pas, ce qui doit changer, ce qu'il faut améliorer ou peut-être abandonner. Si on n'essaie pas de comprendre ses échecs, si on fait tout pour les oublier, on tournera en rond peut-être toute sa vie.

On va **tous** les **écraser** !

Clémence fait du karaté depuis 6 ans, et elle adore ça. Elle aime apprendre des enchaînements nouveaux, elle est contente de gagner de la vitesse dans ses mouvements, elle est de plus en plus précise, elle a de moins en moins peur pendant les combats. Mais il y a un problème : depuis 1 an, le professeur ne s'intéresse qu'à ceux qui gagnent des compétitions. Il corrige et encourage les meilleurs, ceux qui ont des chances de rapporter des médailles et des coupes au club. Les autres,

il les laisse travailler dans leur coin.
Il n'a qu'une idée en tête : que son club
devienne numéro 1.

Quel bonheur le jour où Aurélia a réussi
à marcher tout le long du fil,
sans hésiter ! Elle sent qu'elle a de plus
en plus d'équilibre, que son corps
s'assouplit et qu'elle gagne en
assurance. Mais il faut qu'elle trouve
un autre cirque pour s'entraîner.
Elle déteste la mentalité des dirigeants,
ils ne s'intéressent qu'aux super-doués,
ceux qui brillent pendant les spectacles
de fin d'année. Comme si tous les enfants
devaient devenir des professionnels
du cirque !
Thomas arrête le foot, et pourtant il adore
ce sport et les copains du club. Mais
l'entraîneur colle à tout le monde un stress
incroyable avant les matchs et il pique
des crises de colère dans les vestiaires
quand l'équipe perd. Son seul projet,
c'est que l'équipe soit première de son
groupe et gagne ensuite le championnat.

Souvent, on croit que le succès, c'est juste une victoire sur les autres. À force d'entendre qu'il faut gagner, à force d'entendre qu'il faut être le premier et avoir la meilleure note de la classe, et puis qu'on doit gagner plus d'argent que son voisin, avoir la plus belle voiture du quartier… on finit par croire que la vie est une compétition. Et que le seul succès qui vaut le coup, c'est dépasser les autres.

Que se passe-t-il quand on n'a que la deuxième note, quand le voisin a une promotion et gagne plus, quand une voiture plus neuve que la nôtre débarque dans le quartier ? Le succès est transformé d'un seul coup en échec. Bizarre, non ? On voit bien que ce genre de succès est très fragile : à tout moment, quelqu'un peut devenir numéro 1 à notre place… et le succès s'est envolé.

Gagner, battre les autres, c'est vrai que ça peut faire plaisir. Mais franchement, si on réfléchit à ce genre de plaisir, on se rend compte qu'il passe très vite. Les succès sur les autres, uniquement sur les autres, ce sont souvent des mini-succès, des succès au rabais.

Moi **contre** moi

Les vrais sportifs veulent sentir qu'ils progressent, ils ne parlent pas d'écraser les autres. Quand ils gagnent, ils disent : « *On a mieux joué que d'habitude, on s'est donnés à fond* », « *Je suis content de mon jeu, j'ai réussi des coups que je ratais souvent* », « *Pendant cette partie, j'ai vraiment dépassé mes limites* ».

Jérémy vient de poser la dernière pièce de son puzzle. Il sent une grande bouffée de bonheur, c'est la première fois de sa vie qu'il réussit tout seul un puzzle de 1 000 pièces. Cela fait plus d'un mois qu'il l'a commencé !

● Yamina passe en sixième, elle saute
● de joie, elle a eu très peur parce
● qu'au troisième trimestre, son bulletin
● de notes n'était pas bon.

Ces événements s'appellent aussi des succès,
et pourtant, Jérémy et Yamina n'ont battu
personne, ils n'étaient en compétition
contre personne. Ils ont simplement réussi
quelque chose d'important pour eux,
quelque chose de vraiment important, et
vraiment pour eux.

Échec **ou succès** ?

« Papa, regarde là-bas, voilà le dernier
qui arrive. Le pauvre ! Tu crois qu'il va
pleurer en descendant de son vélo ? »
demande un petit garçon, inquiet
et triste pour le coureur cycliste qui
va bientôt franchir la ligne d'arrivée,
loin derrière tous les autres.

Non, il ne va pas pleurer. Il va hurler de joie !
Il va faire la fête toute la nuit avec sa famille
et ses amis ! Mais pour les spectateurs, impossible de deviner que celui qui arrive dernier est en train de réaliser le rêve de sa vie : participer au Tour de France cycliste et réussir à tenir jusqu'au bout. Tout petit déjà, il regar-

Et le meilleur perdant est...

C'est moi !

dait le Tour de France, il attendait avec son père des heures au bord de la route pour voir les cyclistes passer, en vrai. Et le voilà, aujourd'hui, à Paris, sur les Champs-Élysées, à quelques secondes de la ligne d'arrivée ! Il s'en fiche d'avoir été dépassé par tous les coureurs, il s'en fiche d'arriver si longtemps après le premier. Ce qui compte pour lui, c'est de ne pas s'être écroulé de fatigue, surtout dans les étapes de montagne, de ne pas avoir abandonné et d'avoir puisé dans ses forces, jusqu'au bout.

Ce qui est un échec pour les autres n'est pas forcément un échec pour soi.

Succès ou échec ?

« Bravo Justine, c'est formidable que tu sois encore élue déléguée de classe. Deux années de suite ! Félicitations ! Ça prouve que tes amis ont été contents de toi ! » La mère de Justine est heureuse pour sa fille. Mais en voyant la tête

d'enterrement que fait Justine, elle
ne comprend rien. Justine ne lui répond
pas et court s'enfermer dans
sa chambre. Elle a les yeux rouges,
on dirait qu'elle a pleuré.

Oui, Justine va très mal. Clara voulait aussi être déléguée. Et comme Justine l'avait déjà été l'année dernière, elle avait dit à Clara qu'elle lui laisserait la place. Mais au dernier moment, Justine a changé d'avis et elle a décidé de se présenter. Après les élections, Clara est partie sans lui dire un mot, alors que tous les jours elles s'attendent pour rentrer ensemble de l'école. Sur le chemin du retour, Justine s'est sentie horriblement seule, elle a eu peur que leur amitié, qui dure depuis la maternelle, soit cassée par sa trahison. Ce qui est un succès pour les autres n'est pas forcément un succès pour soi.

Ça ne me fait rien !

La petite Susan est assise devant
le miroir, une jeune fille la démaquille,
une autre lui retire son gros chignon,
et dans la loge, tout le monde s'agite,
les fleurs arrivent, les journalistes
essaient d'entrer, la mère de Susan
ne sait plus où donner de la tête.
Elle est folle de joie, sa fille de 7 ans
vient de gagner le concours de beauté,
elle est sélectionnée pour le grand
concours national, dans 3 semaines !
Son rêve se réalise enfin, Susan va être
une star, des producteurs d'Hollywood
vont la repérer, beaucoup de grandes
actrices ont débuté comme ça,
ils déménageront en Californie,
et la belle vie commencera enfin.
Dans le miroir, Susan regarde tout
le monde et ne dit rien. Elle est déçue,
elle ne pourra pas partir en vacances
avec Marjorie, sa meilleure amie,
qui l'a invitée à passer 2 semaines

- en camping-car
- dans la montagne,
- ça tombe pile
- pendant
- le prochain
- concours.

Ce succès ne touche pas Susan. Elle se sent complètement étrangère à ce qui se passe. Pour une raison simple : devenir reine de beauté n'est pas son projet à elle, donc ce succès n'est pas son succès à elle. C'est le projet de sa mère, donc le succès de sa mère. D'ailleurs, c'est la mère de Susan qui est heureuse. Susan, elle, ne se réjouit pas du tout : son projet à elle, partir avec Marjorie, vient de tomber à l'eau. Quand d'autres nous utilisent pour réaliser leurs projets, c'est normal de ne rien ressentir quand le succès est là. Au moment où le succès arrive, nos sentiments nous apprennent beaucoup de choses : ils aident à savoir si on construit un projet important pour soi, un projet qui tient vraiment à cœur.

Imaginons que Susan a raté le concours :

Dans la loge de Susan, on n'entend
que les larmes de sa mère.
Adieu le cinéma, adieu Hollywood,
la célébrité et l'argent, tous ses rêves
sont en train de s'écrouler.
Susan ne dit rien. Elle n'ose pas dire
qu'elle est contente, elle pense déjà
à ses vacances avec Marjorie, ça va
être génial de partir 2 semaines
en camping-car dans la montagne.

Cet échec ne touche pas Susan. Et on comprend bien pourquoi : devenir reine de beauté n'est pas son projet, donc cet échec n'est pas son échec. C'est l'échec de sa mère, uniquement. Son projet à elle, partir avec Marjorie, va réussir : elle est contente !

Les succès et les échecs font naître des sentiments à l'intérieur de soi, des sentiments qu'on ne peut pas inventer, même pour faire plaisir aux autres.

Tu te rends compte ?

« C'est fantastique, génial, tu te rends
compte, tu as ton diplôme d'avocat,
bravo, quel succès, du premier coup ! »
Tout le monde est fier de Basile,
il a réussi son examen, il est avocat.
Basile est soulagé, il a beaucoup
travaillé, et en plus, ce n'était
pas facile, ses parents n'avaient
pas assez d'argent pour l'aider à payer
ses études. Heureusement qu'il a trouvé
ce travail dans un centre de loisirs,
avec des enfants de CM1 et de CM2.
En recevant son diplôme, Basile
se demande pourquoi il n'est pas aussi
heureux que les gens autour de lui,
il se sent bizarre, ce succès ne lui fait
ni chaud ni froid. Rien à voir avec
la semaine dernière. À la fin
de la pièce de théâtre que les enfants
ont jouée, il sautait de joie, il a cru
qu'il allait exploser de bonheur.
C'est lui qui a fait répéter les enfants

pendant toute l'année,
il a construit les décors et cousu
tous les costumes. Il s'est donné
à fond pour que le spectacle
réussisse. Et il se souvient aussi
des classes vertes,
des colonies
du mois d'août,
des jeux de piste
qu'il a imaginés
et de son bonheur
en voyant l'excitation
des enfants en train
de trouver le trésor...
Et de sa joie le jour
où la directrice
de l'école lui a
proposé de devenir
responsable du centre. Ce jour-là,
il s'en souvient comme si c'était hier.
« Basile, Basile, tu te rends compte,
c'est un grand jour aujourd'hui »,
lui dit sa mère, le sortant brusquement
de ses pensées.

Basile ne s'attendait pas à tout ça : les réactions des enfants et ses succès dans son travail d'animateur le touchent 1 000 fois plus que son succès dans ses études d'avocat.

Pas facile de savoir ce qu'on aime, ce qu'on veut faire, de trouver où on se sent bien… Les succès et les échecs, grâce aux vrais sentiments qu'ils éveillent en nous, nous aident à voir plus clair, à faire le tri entre ce qui est important pour nous et ce qui est moins important. Les sentiments de Basile vont sûrement l'aider à se poser des questions sur son futur métier.

Histoires **de gourmandise…**

La lecture préférée de Fiola, ce sont les livres de cuisine. Incroyable ! Elle connaît des dizaines de recettes par cœur, tous les ingrédients, au gramme près. Elle s'imagine avec un grand tablier blanc dans une belle cuisine en train de sortir du four des gâteaux moelleux au chocolat bien fondant,

- de fouetter de la crème Chantilly,
- de décorer des pyramides de choux
- croustillants...

Fiola n'a jamais fait la cuisine en vrai, elle ne fait qu'imaginer. Elle n'a jamais raté un gâteau, elle n'en a jamais réussi non plus. Elle ne connaît pas le goût du succès, ni celui de l'échec... ni le goût de ses gâteaux d'ailleurs ! En fait, elle manque de gourmandise. Les succès et les échecs, on les rencontre quand on est gourmand de projets, quand on croque dans la vie, quand on se lance, quand on a envie de faire des expériences.

Tous les mercredis,
Hector fait
un nouveau gâteau.
Aujourd'hui, fondant
au chocolat. Pendant
que le gâteau cuit,
Hector en profite
pour aller voir
s'il a des messages

sur son ordinateur. Super ! Julie
est connectée. Il discute avec elle...
et il ne voit pas le temps passer.
Au bout de 1 heure, une drôle d'odeur
lui chatouille les narines.
Catastrophe : le fondant s'est
transformé en charbon.

Là, l'échec a un goût de brûlé. Hector est
furieux, mais quand même, qu'est-ce que c'est
bien de discuter avec Julie ! C'est décidé, mer-
credi prochain, il posera un réveil près de son
ordinateur et le réglera pour qu'il sonne quand
le temps de cuisson est terminé. Pas question de

rater Julie en restant collé devant le four, mais pas question non plus de rater ses gâteaux. Le plaisir du succès, on le comprend bien, pas la peine de passer des heures à l'expliquer. Mais dans l'échec, on peut aussi trouver quelque chose d'agréable : trouver des solutions, inventer, trouver ce qu'on veut, ce qu'on aime, ce qu'on refuse de faire, de ne pas faire. Découvrir.

Ta journée, sucrée ou salée ?

Se couper les ongles, organiser une boum pour son anniversaire, faire un gâteau au chocolat, acheter un canapé, prévoir une sortie au cinéma avec des copains, penser à comment on va s'habiller le jour de la rentrée, ne rien faire une demi-heure par jour pour penser, devenir pilote d'avion de chasse, redécorer sa chambre avec de nouveaux posters, remonter

- ses notes en orthographe, économiser
- de l'argent pour s'acheter un CD,
- prévoir un après-midi à regarder
- la télévision, lever le doigt quand
- le professeur demande qui veut faire
- un exposé sur les dinosaures, partir
- en expédition au pôle Nord, décider
- d'arrêter de fumer, ne rien faire
- pendant 2 semaines, chercher
- sur Internet les paroles des chansons
- de son groupe préféré pour
- les apprendre par cœur, écrire
- un poème pour la fête des Mères...

Quel programme ! Que de plans, que d'idées, de rêves, d'envies, de projets ! Nos matinées, nos journées, nos semaines, nos années, se construisent sans arrêt de projet en projet. Des projets tout simples, très courts, d'autres plus compliqués ou plus longs.

Les succès et les échecs de tous ces projets donnent du goût à la vie, un goût sucré, salé, doux, piquant, sucré et salé à la fois, amer, agréable, horrible ou d'autres goûts quelquefois difficiles à faire passer…

Mais pas de doute, plus on est gourmand, plus on découvre de goûts. Et plus on a de chances de découvrir les mille et un succès qui donnent goût à la vie.

Brigitte Labbé est écrivain. Michel Puech est maître de conférences en philosophie à la Sorbonne. Jacques Azam illustre tous les « Goûters Philo » et signe également des BD chez Milan.

Quelquefois, on se retrouve entre amis,
à deux, à trois ou plus, pour regarder
un film, faire un jeu, préparer un exposé
ou simplement écouter de la musique.
Ou on est là, ensemble, sans rien faire de
spécial. Et il arrive que la conversation démarre,
sur un sujet qui intéresse tout le monde.

MON CAHIER
GOÛTER PHILO

Sans s'en rendre compte, on se lance
dans de grandes discussions sur les parents,
les professeurs, les amis, sur l'amour, la guerre,
la honte, l'injustice… On refait le monde !
Et le soir, quand on se retrouve seul, on y repense.

C'était vraiment bien de pouvoir parler de tout
ça, même si parfois, on est furieux parce qu'on
n'est pas du tout d'accord avec
ce que les autres disent, ou parce
qu'il y en a qui veulent
tout le temps parler
et n'écoutent rien.

Mais alors ! Si c'était bien, pourquoi ne pas organiser des débats, des discussions, sur un sujet qu'on choisirait ensemble ? À la maison, chez des amis ou, pourquoi pas, à l'école ?

Alors voici quelques trucs pour réussir un vrai « goûter philo » :

Merci d'être venus si nombreux !

Il vaut mieux ne pas être plus de 10 personnes.

Évidemment, il faut un bon goûter, à boire et à manger !

C'est bien d'être assis par terre… On peut s'installer comme on veut, on parle plus librement ! Et on peut mettre le goûter au milieu du cercle…

Quelqu'un est chargé de proposer plusieurs sujets. Sauf si tout le monde s'est déjà mis d'accord pour parler de quelque chose de précis.

Chacun réfléchit pour décider quel sujet il préfère, sans rien dire aux autres pour ne pas les influencer.

Quand tout le monde a choisi, on vote pour le sujet dont on a le plus envie de parler. Attention : un seul vote par personne.

Le sujet qui a le plus de voix gagne : c'est de cela qu'on va parler aujourd'hui.

~

Les autres trucs, pour réussir à s'écouter, pour ne pas s'agresser, pour accepter les idées différentes des siennes, pour laisser parler tout le monde, ces autres trucs, vous les trouverez vite vous-mêmes !

C'est parti ! Donnez-vous une heure. Mais après tout, vous pouvez aussi y passer la journée !

Les jus de fruits et les gâteaux sont là, le sujet aussi : aujourd'hui, vous avez choisi « Le succès et l'échec ». Si la discussion a du mal à démarrer – cela arrive quelquefois, on se regarde tous et personne ne sait quoi dire ! –, voici quelques pistes pour lancer le débat :

Est-ce qu'il nous est déjà arrivé un échec comme celui de Guy, Yohann et Dounia, pages 16 et 17 ? Que pensons-nous de leurs réactions ?

Autour de nous, y a-t-il beaucoup de gens comme ceux des pages 25 et 26, des personnes qui croient que le succès, c'est dépasser les autres pour être numéro 1 ?

A-t-on déjà eu des succès qui faisaient plaisir aux autres, mais pas du tout à soi, comme Basile, pages 36 et 37 ?

Qui est plutôt du genre Fiola, page 38 ? Qui est plutôt du genre Hector, page 39 ?

Pour s'aider, on peut naviguer comme cela dans le livre. Quelqu'un lit tout haut un passage, ou une des petites histoires. Cela fait penser à des histoires qui nous sont arrivées ou sont arrivées à d'autres, on les raconte et on essaie, ensemble, de comprendre ce qu'elles veulent dire.

On peut aussi se poser des questions, et en poser aux autres. Et chercher ensemble des réponses… ou bien se rendre compte que, quelquefois, on ne trouve pas de réponse : derrière une question, il s'en cache une autre, et encore une autre, et encore une autre…

En voici quelques-unes, en vrac… de quoi s'occuper des heures !
« *De quoi a-t-on besoin pour obtenir des succès ?* » ; « *Est-ce que les échecs servent à quelque chose ?* » ; « *Qu'est-ce qu'on veut dire quand on dit que quelqu'un a "la grosse tête" ?* » ; « *Comment transformer nos idées et nos rêves en réalité ?* » ; « *Et notre plus gros succès, c'est quoi ? Et le pire échec ?* »

À vous de jouer ! À vous de goûter !
À vous de philosopher !

MES IDÉES...